Un agradecimiento especial a Cherith Baldry
A Cameron y Bradon, héroes de verdad

DESTINO INFANTIL Y JUVENIL, 2011
infoinfantilyjuvenil@planeta.es
www.planetadelibrosinfantilyjuvenil.com
Editado por Editorial Planeta, S. A.

© de la traducción: Macarena Salas, 2011

Título original: *Torgor, The Minotaur*

© del texto: Working Partners Limited 2008
© de la ilustración de cubierta e ilustraciones interiores:
    Steve Sims - Orchard Books 2008
© Editorial Planeta, S. A., 2011
Avda. Diagonal, 662-664, 08034 Barcelona
Primera edición: junio de 2011
ISBN: 978-84-08-10219-9
Depósito legal: B. 18.061-2011
Impreso por Liberdúplex, S.L.
Impreso en España – Printed in Spain

El papel utilizado para la impresión de este libro es cien por cien libre de
cloro y está calificado como **papel ecológico**.

TORGOR
EL MINOTAURO

ADAM BLADE

Gorgonia

CAMPAMENTO DE LOS
REBELDES DE KALOOM

VALLES

JUNGLA

VALLES

EL OCÉANO NEGRO

CASTILLO
EN RUINAS

Bienvenido. Te encuentras al borde de la oscuridad, a las puertas de una tierra horrible. Este lugar se llama Gorgonia, el Reino Oscuro, donde el cielo es rojo, el agua negra y reina Malvel. Tom y Elena, tu héroe y su compañera, deben viajar hasta allí para completar su siguiente Búsqueda de Fieras.

Gorgonia es el hogar de seis de las Fieras más despiadadas que te puedas imaginar: el Minotauro, el Caballo alado, el Monstruo marino, el Perro gorgona, el Gran mamut y el Hombre escorpión. Nada puede preparar a Tom y a Elena para lo que están a punto de enfrentarse. Sus victorias anteriores no significan nada. Ahora, lo único que podrá salvarlos es un corazón fuerte y su determinación.

¿Te atreves a acompañar a Tom una vez más? Te recomiendo que no lo hagas. Los héroes pueden ser muy testarudos y les tientan las nuevas aventuras, pero si decides quedarte con él, debes ser valiente y no tener miedo. De lo contrario, estás perdido.

Ten cuidado por dónde pisas...

Kerlo, el Guardián

7

PRÓLOGO

A Héctor el corazón le latía con fuerza mientras corría por el bosque. Se había entretenido demasiado jugando cerca del arroyo y la luna ya estaba saliendo, morada y amenazante. El cielo furioso y rojo de Gorgonia se arremolinaba sobre su cabeza. Avanzaba entre los árboles, y las sombras que lo rodeaban parecían estar vivas y llenas de peligros.

Se detuvo en un claro para recuperar el aliento y miró a su alrededor para comprobar que no hubiera cerca ninguna criatura malvada. El corazón le empezó a latir más rápido al oír unos crujidos. Se escondió detrás de un árbol y apretó su cuerpo contra el tronco. Al asomarse, vio a dos hombres jóvenes que se arrastraban hacia donde él estaba. No dejaban de mirar hacia atrás con miedo, como si alguien los estuviera persiguiendo. Héctor se quedó sin aliento al reconocer el talismán plateado que llevaban colgado al cuello. Aquellos talismanes sólo los llevaban los rebeldes de Gorgonia que vivían en el bosque, donde conspiraban para derrocar al Brujo Oscuro, Malvel. El padre de Héctor le había dicho que perdían el tiempo, porque Malvel siempre había gobernado Gorgonia y eso no iba a cambiar jamás.

Los dos jóvenes se arrastraron por el claro y se escondieron entre unas enredaderas. Quedaban completamente ocultos. Aun así, Héctor no se atrevía a salir de detrás del árbol. ¿De qué se estarían escondiendo? ¿Andaría Malvel tras ellos? Héctor notó que se le secaba la boca. ¿Qué podría pasar si el brujo malvado lo encontraba allí escondido y solo en el bosque? ¡Pensaría que era uno de los rebeldes!

De pronto, el suelo empezó a temblar bajo sus pies. Héctor miró hacia arriba y vio una figura inmensa que se acercaba entre los árboles directo hacia él, con una hacha enorme en la mano. La luz morada de la luna se reflejaba en el filo dorado del arma a medida que la criatura la blandía por encima de su cabeza, segando los árboles que se interponían en su camino. Héctor intentó moverse, pero el miedo lo paralizó.

Un gemido de terror se le escapó de la garganta. Nunca había visto a aquella criatura, pero sabía quién era: *Tor-gor*, el Minotauro, una de las seis Fieras malvadas de Gorgonia y leal sirviente de Malvel.

El Minotauro se detuvo, miró hacia abajo y vio a Héctor. Entrecerró los ojos. Era tan alto como los árboles del bosque y su vasto cuerpo estaba cubierto de un pelaje grueso y negro, reluciente como el carbón. Tenía dos cuernos retorcidos a cada lado de su cabeza de toro. Sus brazos eran musculosos y sujetaba con fuerza el mango del hacha con su puño gigante. La Fiera pasó el pulgar por el filo para comprobar que estaba afilada.

—No me hagas daño —le rogó Héctor. Se sentía desfallecer al imaginar el arma volando por los aires hacia él. La hoja le cortaría la cabeza de golpe.

La Fiera gruñía amenazadora y le caía saliva de la boca. Levantó el hacha por encima de la cabeza de Héctor.

—¡No, espera! —gritó él. Sabía que Malvel debía de haber enviado a la Fiera para que persiguiera a los rebeldes, y se le ocurrió una idea que podía salvarle la vida—. Yo no soy el que estás buscando. —Señaló con mano temblorosa las enredaderas donde estaban escondidos los dos jóvenes—. Mira ahí. —Se sintió avergonzado, pero en aquel momento lo único que deseaba era escapar de aquella Fiera malvada y de su hacha letal.

Torgor atravesó el claro. Con un movimiento de su arma partió la enredadera en mil pedazos, dejando a los rebeldes al descubierto. Los dos jóvenes gritaron aterrorizados. Por un segundo, miraron a Héctor, y luego se alejaron, huyendo por el bosque. El Minotauro lanzó un rugido de rabia y salió tras ellos.

Héctor se dejó caer al suelo, temblando. Por fin dejó de oírse el ruido de las pisadas de la Fiera. Sólo en ese justo momento se atrevió a levantarse

y alejarse en dirección contraria, hacia su casa.

Le temblaban las piernas y se tropezaba con las raíces de los árboles mientras intentaba llegar al límite del bosque. Sabía que había condenado a dos hombres a una muerte segura.

—Pero yo sigo vivo —susurró para sí mismo.

CAPÍTULO 1

LA PUERTA DEL LEÓN

Tom se estremeció al acercarse a la puerta del león. Había aparecido en el lago de Avantia después de vencer a *Trillón*, el león malvado de tres cabezas, pero Tom no tenía ni idea de adónde llevaría.

Su caballo, *Tormenta*, empezó a recular.

—Tranquilo, muchacho —murmuró, dándole unas palmaditas en el cuello, de reluciente pelaje. *Tormenta* estaba en tensión y movía los ojos, pero Tom lo animó a seguir.

La amiga de Tom, Elena, caminaba al otro lado del caballo, con *Plata* cerca. El lobo gris levantó el hocico y aulló tristemente.

—Tenemos que hacerlo —murmuró Tom apretando los dientes—. Malvel está aquí, en algún lado. ¡Lo sé!

—Tienes razón —Elena hablaba con firmeza—. Y tenemos que rescatar a Aduro.

Tom atravesó la puerta. Un resplandor de luz blanca y pura lo cegó y una corriente de energía le atravesó el cuerpo. Tropezó y tuvo que agarrarse a las riendas para no caerse. Oyó un grito de horror de Elena y *Plata* aulló con mucha fuerza.

Cuando Tom volvió a ver con claridad después del deslumbramiento, descubrió que se encontraba en medio de un terreno baldío. Un suelo plano y sin relieve, que se extendía hasta donde alcanzaba la vista. Unas cuantas plantas de hojas oscuras y caídas asomaban del suelo arenoso, como si estuvieran muertas o a punto de morir. Un árbol nudoso y sin hojas tendía sus ramas retorcidas hacia los cuatro amigos. Una única nube gris colgaba de un cielo rojo y arremolinado. En la otra dirección había una ciénaga desolada, con carrizales y charcos llenos de escoria. En el agua sucia, burbujas enormes salían a la superficie y estallaban con un gorgoteo, soltando un olor nauseabundo.

—¡Qué asco! —exclamó Elena—. Este sitio apesta. ¿Es que Malvel lo ha envenenado todo?

Tom se estremeció y apretó los dientes en el aire frío y húmedo. Elena cogió la capa que llevaba en la alforja de *Tormenta* y se la echó por encima de los hombros.

—¿Qué lugar es éste? —preguntó.

—Es el reino de Gorgonia —dijo una extraña voz detrás de ellos.

Se dieron la vuelta y, justo delante de la entrada del león, vieron una figura alta, vestida con unas ropas marrones y andrajosas. *Plata* lanzó un gruñido profundo, y Elena preparó su arco y sacó una flecha de su funda.

El recién llegado se apoyaba en un bastón de madera nudosa y los observaba. Era calvo y un parche le cubría un ojo; el otro ojo despedía un brillo gris.

—¿Quién eres? —le preguntó Tom directamente. El hombre se acercó más y él apretó la espada con fuerza—. No te acerques más.

El extraño personaje torció la boca, como si la situación le divirtiera.

—¿Acaso os he amenazado? —Hizo
una reverencia—. Me llamo Kerlo. Soy
el guardián de la entrada de Gorgonia.

—¿Eres un sirviente de Malvel? —qui-
so saber Tom.

—No —contestó él—. Yo no trabajo
para ningún brujo. Simplemente vigi-
lo la puerta.

Tom no estaba seguro de que pudiera fiarse de aquel hombre, pero no había nadie más a quien pedirle información.

—¿Qué sabes de Malvel? —preguntó—. Tengo que encontrarle. ¿Vive cerca de aquí?

Una vez más, el otro soltó una risita.

—¿Encontrar a Malvel? Tú y tu amiga deberíais regresar a Avantia antes de que sea demasiado tarde. Gorgonia no acoge bien a los héroes tontos.

—No somos tontos; estamos aquí para rescatar a mi amigo, el brujo Aduro —explicó Tom.

—Y no pensamos irnos hasta que lo encontremos —añadió Elena en tono desafiante.

Kerlo sonrió, mostrando dos hileras de dientes ennegrecidos.

—Muy bien, si insistís… —Estiró una mano y, con un dedo huesudo, señaló hacia más allá de la ciénaga—. Ése es el mejor camino.

En ese momento, unas sombras oscuras empezaron a girar frente a la puerta del león, y el misterioso guardián desapareció en el aire.

CAPÍTULO 2

UNA NUEVA MISIÓN

Elena se frotó los ojos.

—¡Ha desaparecido de verdad! ¿Piensas que deberíamos fiarnos de él?

Tom se encogió de hombros.

—No lo sé, pero es algo para empezar. Tenemos que encontrar a Aduro. —Acarició a *Tormenta*. El caballo estaba temblando y tenía el negro pelaje bañado en sudor—. No pasa nada —murmuró

Tom, tranquilizándolo. Luego se dirigió a su amiga—: ¿Estás lista, Elena?

—Todo lo lista que puedo estar —contestó ella—, aunque esto no va a ser fácil.

—Lo sé, pero no olvides que ahora tengo la armadura dorada —dijo Tom, mirando la preciosa reliquia que llevaba puesta—. Sus poderes nos ayudarán a enfrentarnos a Malvel.

Mientras decía estas palabras, una parpadeante luz rosada se elevó del suelo y lo rodeó con un débil brillo azul.

—¿Qué sucede? —preguntó él.

Intentó abrirse paso, pero el campo de fuerza azulado no lo dejaba moverse. Sintió que la armadura empezaba a vibrar y, una a una, todas las piezas se le empezaron a separar del cuerpo.

Elena se lanzó a ayudarle, pero en cuanto sus manos tocaban el brillo azul, salía despedida hacia atrás.

—¡No te acerques! —le gritó Tom, mientras el brillo azul se convertía en una columna de llamas heladas. Sabía que su amiga no podía ayudarlo con la magia.

Cuando las llamas se apagaron, la armadura había desaparecido. Tom se quedó con su ropa normal, agarrado a la espada y al escudo que llevaba desde su primera misión.

—¿Estás bien? —preguntó Elena.

—Sí, estoy bien —contestó, mirando su desgastada túnica marrón—. Pero la armadura ha desaparecido. —Un sentimiento de desesperación se apoderó de él al darse cuenta de lo que había perdido—. ¿Qué vamos a hacer sin ella?

Elena tenía los ojos abiertos como platos.

—¿Será Malvel realmente tan poderoso como para arrancarte la armadura del cuerpo?

Antes de que le pudiera contestar, el aire que tenían delante empezó a brillar y se empezó a formar una figura. Tom levantó la espada. Si Malvel se presentaba allí para aniquilarlos, Elena y él lucharían hasta el final.

Pero no era Malvel. ¡Era Aduro! Tom bajó la espada, confundido.

El consejero del rey parecía estar realmente delante de ellos.

«Pero ¿a Aduro no lo había capturado Malvel?», pensó Tom. Dio unos pasos hacia el brujo bueno.

—Ten cuidado. —Elena le tiró del brazo—. Podría ser uno de los trucos de Malvel.

Tom observó detenidamente a Aduro y el brujo le sonrió. En ese momento, el chico se sintió ligero como el aire. ¡Reconocería aquella sonrisa en cualquier parte! No podía ser falsa.

—Aduro, ¡eres tú de verdad!

Éste estiró la mano para estrechar la suya con fuerza.

—Así es.

Elena soltó un grito de alegría y abrazó al buen brujo.

—¡Pensábamos que nunca te volveríamos a ver!

—Pero ¿cómo has conseguido escapar de Malvel? —preguntó Tom.

Aduro sonrió.

—Vosotros me liberasteis.

Desconcertados, los dos chicos intercambiaron una mirada.

—¿Cómo? —preguntó Tom con curiosidad—. Acabamos de llegar aquí.

—Cuando recuperasteis las seis piezas de la armadura —explicó Aduro—, me disteis la fuerza que necesitaba para huir.

Tom experimentó una cálida sensación de orgullo, pero ésta se desvaneció inmediatamente.

—Ahora la he perdido. Ha desaparecido justo antes de que tú llegaras.

El brujo sonrió.

—No te preocupes, Tom. La armadura ha regresado al lugar que le corresponde, en el palacio del rey Hugo.

Aunque el chico se sentía aliviado al saber que Malvel no le había robado la armadura, también estaba algo desilusionado por haber perdido sus poderes.

—Por supuesto, seguirás teniendo los poderes especiales —dijo Aduro, como si le hubiera leído el pensamiento—. Siempre formarán parte de ti.

Tom quería hacerle más preguntas, pero el brujo no le dejó.

—No puedo quedarme mucho tiempo —dijo— y tengo varias cosas que contaros. Vuestra primera prueba era pasar por la puerta del león desde Avantia a Gorgonia. Habéis tenido el valor de hacerlo y ahora sé que los dos sois lo bastante fuertes como para llevar a cabo la siguiente Búsqueda.

Tom tembló de emoción al oír que les esperaban nuevas aventuras.

—¿En qué consiste? —preguntó Elena, ansiosa.

—Malvel tiene seis nuevas Fieras malvadas aquí en Gorgonia —explicó el buen brujo—. Deben ser destruidas antes de que las suelte en Avantia.

Tom sintió un escalofrío que le recorrió el cuerpo, pero se enderezó y agarró con fuerza la espada.

—Mientras corra sangre por mis venas, protegeré Avantia —prometió.

—Yo también —añadió Elena—. Y esta vez tendremos la magia y a ti de nuestro lado, Aduro.

El brujo negó con la cabeza.

—Mi magia no puede sobrevivir aquí, en el reino de Malvel. Cada minuto que paso en Gorgonia me debilito más y más. No me queda más remedio que volver en seguida al palacio del rey Hugo.

Tom lo miró alarmado.

Aduro le puso la mano en el hombro para tranquilizarlo.

—Mis pensamientos siempre estarán contigo en esta Búsqueda —dijo—. Te estaré observando desde el palacio y, cuando tenga la fuerza suficiente, apareceré en forma de visión. Pero no podré quedarme mucho tiempo.

A medida que hablaba, Tom se daba cuenta de que el brujo se encontraba cada vez más débil y demacrado. La mano con la que le apretaba el hombro era más ligera.

—¡Vuelve, rápido! —exclamó.

Aduro levantó la mano para despedirse. Entonces, entre un remolino de túnicas y un destello repentino de luz blanca, atravesó la puerta del león de regreso a Avantia.

Elena se quedó mirando el desolado paisaje.

—¿Cómo vamos a encontrar esas nuevas Fieras? —preguntó—. Esto no es más que un terreno baldío.

—Kerlo nos ha dicho que atravesáramos la ciénaga —contestó Tom—, pero eso era cuando estábamos buscando a Aduro. —Miró más allá del apestoso terreno encharcado y recordó que una vez se tuvo que zambullir en algo parecido, cuando estaba buscando a *Soltra*, la Encantadora de piedras.

—Vamos a ver qué dice la brújula mágica —sugirió Tom sacándola del bolsillo. La había dejado para él su desaparecido padre, Taladón, y ya le había salvado la vida en alguna ocasión.

La aguja de la brújula se movió enloquecida durante un rato y después apuntó a la palabra «Destino». Señalaba directamente al otro lado de la ciénaga.

—Así que por ahí se va a la siguiente Fiera —comentó Elena con un brillo en los ojos.

—Y también se va a nuestro destino —añadió Tom—. Vamos.

CAPÍTULO 3

LAS MAQUINACIONES DE MALVEL

Tom y Elena avanzaron cautelosamente por el borde de la ciénaga, intentando descubrir si había un camino de tierra firme para cruzarla. Por un instante, Tom sintió que se le hundían los pies, pero después volvió a pisar suelo sólido.

Miró a lo lejos en busca de alguna elevación en la geografía. Necesitaban un punto de referencia por si se desorientaban. Se sintió aliviado al ver unos cuantos edificios en el horizonte.

Se volvió hacia Elena.

—Aunque no lleve el yelmo dorado, sigo teniendo una vista muy aguda, y veo hasta muy lejos —explicó contento—. ¡He descubierto algo!

A ella se le dibujó una sonrisa en la cara.

—¿Qué has descubierto? —preguntó.

Tom se protegió los ojos con una mano para tapar el rojo rabioso del sol poniente y volvió a mirar más allá de la ciénaga.

—Parece un pueblo —respondió—. Vamos hacia allá.

Envainó la espada y cogió las riendas de *Tormenta*.

Elena asintió y buscó a *Plata*. El lobo correteaba contento, pero en cuanto ella lo llamó, fue a su lado. Tom se subió al caballo y Elena montó detrás de él. Con *Plata* trotando a su lado, se adentraron en la ciénaga. Tom guiaba cuidadosamente a *Tormenta* para evitar los charcos de agua que salpicaban el terreno lodoso.

No habían llegado muy lejos cuando oyeron un furioso rugido detrás. Tom se dio la vuelta en la silla y se dispuso a desenvainar la espada.

A lo lejos, en la puerta del león, brillaba una luz blanca. Un segundo más tarde, apareció una figura oscura que la atravesó y se encaminó hacia el pantanal, en dirección a ellos.

Tom se quedó sin aliento. Era *Tagus*, el Hombre caballo, una Fiera buena y protectora de Avantia, que lo había ayudado a vencer a *Trillón*, el León de tres cabezas.

—¡Nos ha debido de seguir por la puerta! —exclamó Elena.

Pero *Tagus* no se detuvo. Echó la cabeza hacia atrás y lanzó otro rugido de rabia y frustración. Estaba intentando clavar los cascos en el suelo lodoso, pero una fuerza invisible tiraba de él hacia delante, hacia Gorgonia, más allá de la tierra pantanosa.

—Tengo que intentar detenerlo —dijo Tom—. Mantén a *Tormenta* y a *Plata* alejados.

Elena asintió y apartó al caballo del camino de *Tagus*. El animal se resistió un poco, pero finalmente obedeció. Después, la chica llamó a *Plata* y el lobo fue corriendo a su lado.

El Hombre caballo estaba casi encima de Tom, pero éste no se apartó. *Tagus* retrocedió, levantó las patas delanteras en el aire, medio rozándole la cabeza e intentando luchar contra lo que fuera que estuviera tirando de él, pero sus cascos siguieron arrastrándose por el barro, obligándolo a adentrarse más en el terreno pantanoso.

Tom dio un salto e intentó agarrarse a los brazos del Hombre caballo, pero era imposible. *Tagus* movía la cabeza adelante y atrás, y agitaba las manos como si se estuviera defendiendo de un enemigo invisible. Tenía la piel brillante de sudor y los ojos blancos de miedo. Con un último rugido de rabia e impotencia, salió al galope.

Tom cerró los puños al verlo marchar. Salpicaba barro con los cascos mientras seguía galopando, cada vez más rápido, hasta convertirse en una mota en la distancia.

Tom se volvió hacia Elena.

—¿Estás pensando lo mismo que yo? —preguntó.

—Algo estaba tirando de *Tagus* hacia la ciénaga —dijo ella—. Debe de haber sido Malvel.

—No me sorprendería. —Tom miró más allá del terreno encharcado. *Tagus* se había perdido de vista. Saltó a la silla de *Tormenta*, delante de Elena—. Se ha ido hacia el pueblo. Tenemos que seguirlo —dijo—. ¿Te das cuenta de lo que está pasando? En nuestra nueva Búsqueda hay dos partes.

Elena frunció el cejo.

—No entiendo.

Él apretó los dientes.

—Malvel quiere volver a mandar Fieras malvadas a Avantia. Así que está atrayendo a las Fieras buenas a Gorgonia. ¡Sin las Fieras buenas, Avantia no tendrá manera de defenderse!

CAPÍTULO 4

LA CIÉNAGA LETAL

Tom llevó a *Tormenta* hacia el pantanal. El caballo movía la cabeza nerviosamente pero siguió avanzando, esquivando los charcos cubiertos de espuma verde, a través de cañaverales y entre matas de hierba. Con cada paso que daba, los cascos se le hundían cada vez más profundamente.

—Es inútil —dijo Elena—. El terreno no va a aguantar su peso con nosotros dos encima.

—Tenemos que bajarnos e ir andando —contestó Tom.

Sin ellos dos montados, *Tormenta* podía moverse más fácilmente. Tom lo llevaba con cuidado, intentando buscar un sitio firme donde pisar. Elena iba al otro lado del caballo y *Plata* iba detrás, salpicándose de barro su pelaje gris.

A Tom los pies se le hundían cada vez más y sintió que el agua fría le empapaba las botas. Nubes de moscas se elevaban en el aire a medida que pasaban entre los cañaverales. Al remover el lodo, subía un olor putrefacto.

De pronto, Elena gritó alarmada y se hundió hasta las rodillas.

—¡Estamos tardando demasiado! —exclamó—. Malvel podría estar haciéndole daño a *Tagus* mientras nosotros estamos aquí atascados.

Tom la cogió de la mano y la sacó. Elena tenía razón, pero no podían hacer nada más para avanzar, y ellos eran los únicos que podían ayudar a *Tagus*. Miró a su alrededor y vio una línea de árboles que bordeaban la ciénaga, no muy lejos. Tenían las ramas peladas salvo por unas pocas hojas rotas, y sus formas retorcidas y negras resaltaban contra el tormentoso cielo rojo.

—Tenemos que llegar hasta allí y avanzar por el borde —sugirió, señalando los árboles—. Las raíces harán que el terreno sea más firme y que nos hundamos menos.

—Muy bien —asintió Elena—. Sea como sea, nos tenemos que mover más rápido.

Tom estaba contento al llevar a *Tormenta* por una pequeña cuesta hacia los árboles y sacarlo del pantanal. *Plata* corría delante de ellos y se detuvo para sacudirse vigorosamente, lanzando barro por todas partes.

—¡Eh, para! —se rió Elena—. ¡Ya tengo suficiente barro, gracias!

A medida que Tom se acercaba al bosquecillo, vio que era más espeso de lo que le había parecido de lejos y que entre los árboles discurría un estrecho camino. A pesar de que los árboles no tenían hojas, sus grandes ramas se entrecruzaban y bloqueaban la luz.

Tom se volvió a subir a la silla de *Tormenta*.

—Sigamos por ese camino —dijo con decisión—. Cuando lleguemos al otro lado del bosque, deberíamos poder ir hacia el pueblo sin tener que meternos otra vez en la ciénaga. Es un gran rodeo, pero creo que aun así será más rápido que ir por este barrizal.

—Me parece bien —contestó Elena mientras montaba también al lomo de *Tormenta*.

Tom chasqueó la lengua para que el caballo se metiera entre las sombras de los árboles, pero el animal se negó a avanzar. Una vez más temblaba y sudaba.

—Vamos, muchacho. —Tom le dio un golpecito con las riendas—. No podemos quedarnos aquí.

El caballo empezó a moverse de mala gana. Elena llamó a *Plata*, pero el lobo no acudió en seguida, sino que se quedó inmóvil, con las patas rígidas, en el límite del bosquecillo. Ella lo volvió a llamar. *Plata* soltó un aullido de mie-

do antes de seguirlos con la cabeza gacha y la cola baja.

El bosque estaba oscuro y en él sólo penetraban unos pequeños haces de luz roja que se colaban entre las ramas colgantes. El camino pronto se hizo más estrecho y Tom tuvo que guiar a *Tormenta* cuidadosamente para que no se cortara con las espinas afiladas de los arbustos. Unas raíces retorcidas salían de la tierra, como si quisieran que se tropezaran con ellas.

El aire era muy pegajoso y les costaba respirar.

—Ésta va a ser la misión más difícil que hemos tenido hasta ahora —dijo Tom—. Pero lo conseguiremos, ¡estoy seguro!

Tormenta puso los ojos en blanco y relinchó con fuerza, como si estuviera de acuerdo.

—A *Plata* no le gusta nada este sitio —comentó Elena mirando a su mascota. El lobo jadeaba con la lengua fuera—. Pero ¡por lo menos hemos salido de esa horrible ciénaga!

Tom estaba a punto de contestar cuando sintió que algo fino y afilado se le clavaba en las costillas. Miró hacia abajo y vio una rama baja de uno de los árboles que lo pinchaba en un costado. La apartó del camino, pero ésta se adelantó inmediatamente y le dio más fuerte.

—¡Eh, este árbol me ha atacado!

—Eso es imposible Tom —contestó Elena—. Los árboles no pueden moverse...

Se interrumpió ante el sonido de unos crujidos que salían del bosque; era como si los árboles estuvieran extendiendo sus ramas hacia ellos. Tom observó que éstas se balanceaban por encima de sus cabezas, a pesar de que no corría nada de aire.

—¡Están vivos! —exclamó.

Una de las ramas bajó de golpe. Elena se agachó y la rama se apartó, pero le atacó otra, agarrándole el pelo.

—Tenemos que salir de aquí —gritó—. ¡Estos árboles quieren hacernos daño!

CAPÍTULO 5

EL MAPA DE MALVEL

Tom clavó los talones con fuerza en los costados de *Tormenta*.

—¡Vamos! —gritó.

El caballo salió disparado por el camino que cruzaba el bosque, con Tom agachado sobre su cuello y Elena agarrada a él detrás. *Plata* corría a su lado.

—¡Vamos, muchacho! —gritó Tom, dándole palmaditas a *Tormenta* en el cuello para animarlo—. ¡Más rápido!

A ambos lados del camino, los árboles se doblaban, estirando sus ramas para clavárselas y golpearlos. Sus crujidos sonaban como una risa cruel. Tom se agachó para tocar su escudo, que llevaba atado en la alforja de *Tormenta*. Frotó la herradura mágica que tenía incrustada en él. Eso les daría la velocidad que necesitaban para salir con vida.

Los cascos de *Tormenta* eran como una tormenta que resonaba en el camino. Arbustos gruesos y espinosos los rodeaban por todas partes y Tom desenvainó la espada. Los guanteletes dorados le daban una gran habilidad con el arma y lo ayudaban a abrirse camino. Con el rabillo del ojo, vio una enredadera serpiente que se lanzaba hacia él. La rama intentó arrebatarle la espada de las manos, pero estaba preparado y la cortó.

—¡Tom! ¡Mira! —gritó Elena, señalando por encima de su hombro.

Él vio que estaban llegando al final
del bosque. Hizo que *Tormenta* fuera
incluso más rápido mientras se abrían
paso hacia fuera, bajo el cielo rojo que
se arremolinaba sobre Gorgonia.

Gradualmente, fue poniendo el caballo al paso. Miró hacia atrás y vio

que todo el bosque se movía y las ramas se agitaban de rabia.

—¿Qué ha pasado aquí? —se extrañó Elena mirando el suelo.

La tierra que los rodeaba se veía totalmente calcinada. Alguien había arrancado los árboles y los había tirado a un lado, con las raíces retorcidas en el aire.

—Han levantado esta parte del bosque —contestó Tom—. No sé por qué, pero a nosotros nos ha venido muy bien. Creía que nunca saldríamos de ahí.

—¿Dónde está el pueblo? —preguntó Elena—. ¿Todavía lo puedes ver?

Él miró a su alrededor, buscando los edificios. Pero a pesar de su potente visión mágica no conseguía localizar el pueblo que había visto antes. Sólo se veía un terreno plano.

—No estoy seguro de dónde estamos —respondió honestamente—. Al atravesar el bosque nos hemos perdido.

—¿Y *Tagus*? —preguntó Elena ansiosamente.

—Tampoco veo rastro de él —dijo Tom moviendo la cabeza—. Sólo espero que no lo haya capturado Malvel.

Volvió a sacar la brújula de su padre, pero esta vez la aguja se movió de un lado a otro sin dar una indicación clara.

—Será mejor que sigamos —propuso.

Justo entonces, lo interrumpieron unos chisporroteos, y un rayo de luz roja cayó hasta el suelo. *Tormenta* reculó, relinchando de miedo, y Tom tuvo que forcejear fuertemente para volver a controlarlo.

Cuando el caballo se tranquilizó, vieron algo tirado en el suelo, justo donde había caído el rayo. Elena se bajó de *Tormenta* y fue a cogerlo.

—¡Ten cuidado! —la avisó Tom, desmontando también.

Ella le tendió lo que parecía un pergamino enrollado. Tom se estremeció al tocarlo. Estaba impregnado de grasa animal.

Lo sujetó a un brazo de distancia y lo desenrolló lentamente.

—¡Es un mapa! —exclamó Elena—. Me pregunto si será mágico, como el de Avantia que nos dio Aduro.

Tom lo examinó con recelo. Mostraba un terreno para él desconocido, y en la parte de arriba, con letras negras y puntiagudas, ponía «Gorgonia». Echó un vistazo al cielo tormentoso.

—Malvel, ¿eres tú quien nos ha mandado esto? —gritó—. ¿Y crees que nos vamos a fiar de ti?

Se oyó una risa cruel que les resultó familiar. Sabían que era el Brujo Oscuro, a pesar de no ver ni rastro de él.

—¡Vamos a rescatar a *Tagus*! —prometió Tom desafiante—. ¡Y no necesitamos tu mapa!

—Ah, pero creo que os resultará muy útil —susurró Malvel y después se volvió a reír. El sonido se desvaneció con el viento. Se había ido.

Los dos amigos miraron el mapa.

—Mira, ahí está la puerta del león que lleva a Avantia —señaló Elena—.

Eso quiere decir que estamos en el sudoeste. Y ahí está el bosque y aquí la ciénaga.

Tom trazó una línea desde el bosque.

—El pueblo no queda muy lejos de aquí —comentó—. Y mira, aquí se ve a *Tagus* entre las casas.

El pequeño dibujo del Hombre caballo cobró vida. Reculaba y daba coces. Movía la cabeza y el torso adelante y atrás, como si estuviera intentando liberarse de unas cadenas invisibles.

—Entonces ahí es donde tenemos que ir para liberar a *Tagus* —dijo Elena—. A no ser que creas que el mapa intenta engañarnos.

—No me fío del todo —reconoció Tom—, pero es lo único que tenemos y debemos arriesgarnos. Si Malvel nos ha tendido una trampa, estaremos preparados.

Empezó a enrollar de nuevo el mapa cuando Elena le cogió la mano para detenerlo.

—¡Mira! ¡Está cambiando!

Tom lo observó. Ella tenía razón. Los límites del bosque y de la ciénaga se estaban moviendo; de pronto, apareció una roca alta y dentada y desapareció una catarata. Sin embargo, el pueblo seguía en el mismo lugar. ¡Todos sus puntos de referencia se estaban moviendo!

—Malvel está intentando confundirnos —dijo Tom apesadumbrado—. Intentará dificultarnos como sea que sigamos este mapa.

—Aun así, nos podría ayudar si lo usáramos con cuidado —sugirió Elena.

—Sí, tienes razón. El Brujo Oscuro cree que puede jugar con nosotros, pero pronto descubrirá que está muy equivocado. Vamos a ponernos en camino.

Enrolló el mapa y lo guardó en la alforja de *Tormenta*. Mientras Elena y él se subían a la silla, apareció una luna morada sobre los árboles que despedía una luz amenazante sobre el bosque destrozado.

Tom hizo avanzar el caballo mientras Elena se agarraba con fuerza a su cintura. Sabía que su amiga estaba tan decidida a seguir como él. Apretó las riendas con los puños.

—Nos enfrentaremos a cualquier peligro que se interponga en nuestro camino —dijo—, por el bien de Avantia.

CAPÍTULO 6

PROBLEMAS EN EL PUEBLO

El sol rojo de Gorgonia volvía a ascender a medida que Tom guiaba a *Tormenta* por el camino lleno de baches que entraba en el pueblo.

—¡Por fin! —bostezó Tom. Llevaban toda la noche viajando y estaba muy cansado—. Quizá podríamos descansar aquí un rato y comer algo.

—No sé —contestó Elena insegura—. No me gusta nada el aspecto de este lugar. Es como si nadie viviera aquí.

—Tal vez es que no vive nadie —contestó Tom mirando las casas de piedra medio desmoronadas que los rodeaban. Las puertas de madera y las contraventanas estaban podridas y todas las ventanas sin luz.

Avanzaron entre más casas derruidas. Al cabo de un rato, oyeron unas voces. *Tormenta* trotó hacia ellas y llegaron a un mercado instalado sobre un terreno embarrado. Había unos puestos de madera destartalados dispuestos en filas y los vendedores ofrecían a gritos sus productos.

—¡Pan fresco! ¡Compra tu pan fresco aquí!

—¡Manzanas maduras! ¡Las mejores manzanas maduras!

—¿Ollas para reparar? ¿Tienen ollas para reparar?

Tom y Elena desmontaron y llevaron al caballo hacia la primera fila de puestos, mientras observaban los extraños montones de verduras apiladas. Los nabos tenían dos puntas, en las manzanas crecían champiñones y las zana-

horias eran de color azul brillante, con el tallo rojo y plumoso. Todo estaba seco o medio comido por los gusanos. No había nada fresco.

—¡Mira estas cosas! —susurró Elena—. Yo no me comería nada de eso.

—Yo tampoco —asintió Tom, pensando en las jugosas manzanas y peras que crecían en los enormes huertos de Avantia.

A medida que se adentraban en el mercado, Tom notó que la gente se volvía para mirarlos. Una tendera se quedó totalmente inmóvil mientras colocaba su mercancía en su puesto, olisqueó el aire con recelo y los observó al pasar.

—¿Qué les pasa? —preguntó Elena—. ¿Por qué nos miran todos así?

Él se encogió de hombros.

—No lo sé. Tal vez nunca han visto un caballo tan bueno como *Tormenta*.

—Eso no explica por qué esa mujer ha olfateado el aire de esa manera —comentó Elena indignada—. ¿Es que le parece que olemos mal?

Tom notó que la mujer no era la única que lo hacía. Otras personas también olisqueaban el aire, como si percibieran un olor extraño.

—No podemos oler peor que cualquier cosa que haya en este sitio —replicó Tom—. Ignóralos.

Un hombre grande con barba le dio de repente un golpe a Tom en el hombro, haciendo que se trastabillara.

—Lo siento, y-yo... —empezó a decir el hombre. Después comenzó a toser y a atragantarse.

Tom intentó darle unos golpecitos en la espalda, pero el otro le apartó la mano.

—¡No me toques! —gritó—. ¡Apestas a Avantia! ¡Eres un bicho... una plaga!

Soltó un rugido de rabia y se abalanzó sobre él. Pero Tom consiguió agacharse, esquivar sus grandes manos y apartarse de su camino.

En ese momento, todos los que estaban en el mercado se lanzaron hacia ellos, gritándoles e insultándolos. Tenían las caras convulsionadas de odio. Una mujer mayor movía su bastón amenazante hacia donde estaban.

—¡No tenéis ningún derecho a estar aquí! —gritó.

—¡Agarradlos! —gritó otra persona.

Salieron disparados hacia ellos, pero se detuvieron cuando Tom desenvainó la espada y la empezó a mover en círculos.

—Atrás —les avisó y después le dijo a Elena—: ¡Súbete a *Tormenta*, ahora!

Ella saltó ágilmente al lomo del caballo. Tom iba a seguirla, pero una vez más, el hombre de la barba se abalanzó hacia él e intentó tirarlo al suelo. De nuevo, Tom fue más rápido y lo esquivó saltando hacia un lado. El hombre cayó de cara en el barro.

Elena ya había puesto a *Tormenta* al trote y Tom montó detrás de ella.

—¡Vamos, *Tormenta*! —gritó la chica.

El caballo salió disparado, con los cascos resonando en el barro de la calle mientras *Plata*, que apareció de repente, corría a su lado, ladrando de emoción.

Tom miró hacia atrás por encima del hombro. Algunos vendedores los seguían corriendo por el camino, pero *Tormenta* era mucho más rápido. Los dejaron atrás y, a media que se alejaban, fueron dejando atrás las últimas casas del pueblo.

¡Habían conseguido escapar!

CAPÍTULO 7

UN REGUERO DE SANGRE

Por fin, Elena hizo que *Tormenta* se detuviera. El suelo estaba cubierto de hierba amarilla y seca y el camino descendía hacia un valle. Un río poco caudaloso bajaba hasta él, flanqueado por unos pequeños arbustos aquí y allá.

Tom miró hacia atrás. No parecía que nadie los hubiera seguido desde el pueblo.

—Creo que estamos a salvo —dijo—. Sin embargo, ¿cómo vamos a encontrar a *Tagus*? El mapa indicaba que estaba en el pueblo, pero si regresamos nos atacarán de nuevo.

—Vamos a volver a mirar de nuevo el mapa —sugirió Elena, desmontando.

Tom desmontó también, sacó el mapa de Malvel de la alforja y lo desenrolló rápidamente, intentando ignorar su superficie grasienta. El pequeño dibujo de *Tagus* seguía viéndose en el pueblo.

—Puede que el mapa esté incorrecto —apuntó Elena.

Tom asintió.

—O tal vez Malvel nos mintió deliberadamente. Quizá quiere que vayamos al pueblo, porque sabe que la gente de allí nos odia.

A continuación, Elena se puso el chal sobre los hombros.

—Hemos tenido mucha suerte de poder escapar.

Tom sabía que tenía razón. Pero ahora no había manera de saber por dónde seguir.

—Mira, ¿qué es eso? —Su amiga interrumpió sus pensamientos.

—¿El qué? —preguntó él.

—Ahí, encima de la hierba. Parece un reguero —contestó Elena, señalando el lugar.

Tom miró y vio una mancha rojo oscuro sobre la hierba amarilla, que se alejaba hacia la cima de la colina. Guió a *Tormenta* por allí, mientras *Plata* salía corriendo por delante, olisqueando el suelo. El lobo soltó un pequeño aullido.

Tom examinó las manchas oscuras. No necesitaba el fino olfato de *Plata* para saber que era sangre seca. Después, notó que el escudo vibraba suavemente sobre la silla de *Tormenta* y que el trozo de herradura de *Tagus* emitía un débil brillo.

—¡Oh, no! —exclamó Elena—. ¡No puede ser!

—Me temo que sí —contestó él con un nudo en la garganta—. Esta sangre tiene que ser del Hombre caballo.

Todavía a lomos de *Tormenta*, Tom y Elena siguieron el rastro de sangre. Los llevó por la colina hasta la cima. Allí no crecía nada. La tierra era totalmente estéril.

—Hay algo ahí delante —señaló Tom, mirando hacia delante. Con su aguda vista, consiguió ver un árbol retorcido y a *Tagus*, su amigo, tirado encima de las raíces retorcidas. La buena Fiera gemía de dolor y parecía estar luchando contra algo que lo mantenía unido al árbol.

—¡Es *Tagus*! ¡Está herido! —exclamó Tom con urgencia.

Corrieron hacia él.

El Hombre caballo debió de oír que se acercaban, porque giró la cabeza hacia ellos. En sus ojos se veía el dolor.

—¡Oh, mira, Tom! ¡Es muy horrible! —Elena señaló una de las patas traseras de *Tagus*. Estaba atrapada entre los dientes de un fuerte cepo y todavía le salía sangre de la herida. Una gruesa cadena unía el cepo a una de las raíces del árbol.

Tom apretó los puños con rabia.

—Te sacaremos de aquí —le dijo a la Fiera buena, esperando que le pudiera entender.

La presencia de Tom debió tranquilizar a *Tagus*, porque dejó de luchar y se tumbó sobre las raíces de los árboles con un suspiro.

Elena se agachó hasta el cepo.

—Aquí hay algo escrito. Pone «*Torgor*». —Confundida, miró a Tom—. ¿Qué crees que querrá decir?

—Debe de ser el nombre de la siguiente Fiera a la que nos tenemos que enfrentar.

Elena apretó los labios con rabia.

—¿Qué tipo de demonio es? ¿Cómo puede tratar así una Fiera a otra?

—Es una de las Fieras de Malvel —le recordó Tom—. Todas son perversas hasta la médula.

—¿Puedes quitarle el cepo? —preguntó Elena.

—Voy a intentarlo. Déjame tu chal, Elena.

Ella se lo dio y Tom se envolvió las manos con él, para intentar abrir el cepo sin clavarse los dientes. Era imposible. El cepo no cedía. Tom sacó la espada y la descargó sobre la cadena, pero el filo ni siquiera arañó el metal.

Tom lanzó un grito de frustración.

—¡Es demasiado fuerte!

—¡Tenemos que hacer algo! —dijo Elena, mirando al Hombre caballo, que yacía inmóvil—. No podemos dejarle así.

Tom volvió a envainar la espada.

—Me temo que sólo nos queda una salida: encontrar a *Torgor* y obligarlo a liberar a *Tagus*.

—¿Por dónde empezamos a buscarle? —preguntó Elena.

Tom miró hacia el horizonte en busca de una respuesta. Un poco más lejos, *Plata* olisqueaba algo en la hierba;

el lobo lo miró y soltó un aullido para llamar su atención.

—¿Qué tienes ahí, *Plata*? —preguntó Tom.

Se acercó a *Plata*. En la hierba había unas huellas sangrientas que bajaban hacia el valle.

—¡Mira lo que ha encontrado *Plata*! —le dijo Tom a Elena, que se había arrodillado y acariciaba suavemente la cabeza de *Tagus*. Se levantó y se acercó a su amigo.

—*Torgor* ha debido de pisar la sangre de *Tagus*.

—¡Tenemos otro rastro! ¡Podemos seguirlo! —exclamó Elena.

Tom negó con la cabeza y puso la mano en la empuñadura de su espada.

—Yo seguiré el rastro. Tú quédate aquí para cuidar a *Tagus*. *Plata* y *Tormenta* se pueden quedar también contigo. Te ayudarán a protegerte de Malvel si aparece.

—No creo. —Elena señaló al lobo, que movía la cola rápidamente, esperando a que Tom lo siguiera—. Él ya ha decidido que va a ir contigo. Cuídale bien, ¿vale?

—No te preocupes. Lo haré. —Volvió donde estaba *Tormenta* y desató el escudo de la silla.

Elena se sentó al lado de *Tagus* y le puso el brazo sobre los hombros. Después se despidió de Tom con la mano.

Por un lado, a él le gustaría que ella lo acompañara; Elena era una gran amiga y siempre le gustaba tenerla cerca. Pero se lo quitó de la cabeza. *Tagus* necesitaba a alguien que le cuidara.

«*Torgor*, no te vas a escapar —pensó, mientras avanzaba con la mirada fija en el rastro de sangre—. Voy a por ti.»

CAPÍTULO 7

CARA A CARA CON EL MINOTAURO

El camino se dirigía hacia el río. Aunque Tom ya no llevaba la cota de malla dorada, agradecía la fuerza que ésta seguía dándole en aquellos momentos. Sujetó decidido el escudo y la espada mientras se preparaba para conocer a la Fiera y se mantenía muy alerta por si oía algún ruido inesperado, pero lo único que le llegaba era el viento que soplaba por la colina desierta.

La débil luz del sol rojo dificultaba la visión, incluso a pesar de que Tom conservaba sus poderes mágicos, que le daban una gran agudeza visual. Al poco, las huellas sangrientas desaparecieron, pero *Plata* empezó a correr frenéticamente arriba y abajo, soltando ladridos de emoción al oler a la Fiera.

Sin embargo, al llegar a la orilla del río, el lobo pareció perder el rastro. Corría de un lado a otro, salpicando agua y aullando decepcionado.

—¿Qué ocurre, muchacho? —preguntó Tom—. ¿Dónde está la Fiera?

Plata soltó un aullido de decepción y él se imaginó que la Fiera debía de haber cruzado el río. El agua hacía que se perdiera el rastro y ya no había manera de seguirlo.

Tom volvió a mirar hacia la colina, donde todavía podía divisar el árbol retorcido y a *Tagus* y a Elena. ¿Cómo iba a ayudar ahora al Hombre caballo?

De pronto, *Plata* soltó un ladrido de alarma. Tom se volvió y vio algo que se acercaba volando a una velocidad increíble. Se protegió con el escudo y consiguió esquivar un tronco inmenso.

A pesar de que el peto dorado le seguía dando mucha fuerza, el impacto

hizo que se tambaleara. Le fallaron las rodillas y cayó al suelo. El tronco acabó en el barro, cerca de la orilla del río.

Se levantó y miró atónito el inmenso proyectil que acababa de esquivar. Alguien, o algo con una fuerza increíble se lo había lanzado desde el otro lado del río. Miró más allá de las aguas en calma, intentando divisar a su atacante, pero no consiguió ver nada.

—¡Tom! ¡Tom!

Se dio la vuelta al oír la voz de Elena. Su amiga cabalgaba sobre *Tormenta*, que bajaba a galope tendido por la colina en dirección hacia él.

—¡He visto lo que ha pasado! —exclamó, bajándose del caballo—. Tenía que venir. Si alguien te está intentando atacar, lucharemos juntos.

—Gracias —dijo él—. Yo…

Se detuvo al ver que Elena abría mucho los ojos. Al darse la vuelta, vio aparecer un par de cuernos por detrás de la cima de una pequeña colina, al otro lado del río. Eran enormes, curvos y brillantes, con las puntas peligrosamente afiladas.

—*Torgor* —exclamó la chica.

Por debajo de los cuernos apareció una cabeza de toro con unos ojos que reflejaban el color escarlata del cielo. Su cuello descansaba sobre un cuerpo humano cubierto de pelaje negro y espeso. Llevaba un cinturón de cuero a la cintura y una hacha gigante de filo dorado en la mano. En el lugar donde la hoja se juntaba con el mango, había una joya roja brillante. *Torgor* era mucho más alto que *Tagus*. La Fiera soltó un rugido de rabia.

A Tom, el corazón le empezó a latir muy de prisa y le empezaron a sudar las palmas de las manos mientras buscaba su espada. La inmensa Fiera se metió en el río y cruzó las aguas hacia él. Aunque Tom sabía que tenía los poderes de la armadura dorada, se sentía indefenso ante tal monstruo.

Sin embargo, se quedó en su sitio. No se rendiría sin luchar.

—Mientras corra sangre por mis venas —prometió—, venceré a esta Fiera.

CAPÍTULO 9

COMIENZA
LA BATALLA

Torgor atravesó el río corriendo rápidamente y moviendo el hacha por encima de la cabeza.

—¡Cuidado! —le gritó Tom a Elena, que estaba colocando una flecha en el arco. El hacha salió dando vueltas por el aire, hacia ellos, pero ambos se echaron a un lado. El filo dorado se clavó en el suelo, haciendo que temblara la tierra y que los dos chicos perdieran el equilibrio y cayeran de espaldas al suelo.

Tom se puso de pie y lo atacó con la espada, pero la Fiera apenas notaba los golpes. Cogió el hacha del suelo y se dirigió colina arriba, en dirección hacia el árbol donde *Tagus* seguía tumbado. Movía el arma en el aire mientras avanzaba rápidamente hacia el herido Hombre caballo.

—¡Va a matar a *Tagus*! —exclamó Elena—. ¡Tenemos que detenerle!

Tom se lanzó hacia la colina. No podía creer lo rápido que avanzaba *Torgor*. A pesar de que él tenía el poder de la velocidad que le daba el trozo de herradura de *Tagus*, le costaba mucho seguir los pasos gigantescos de la Fiera. Dejó a Elena y los animales atrás y llegó a la cima de la colina poco después del Minotauro.

Éste se alzaba frente al Hombre caballo atrapado, que lo miraba con odio en los ojos. Tom sintió una oleada de rabia. Cuando *Torgor* levantó el arma, soltó el escudo y la espada y dio un salto, cogiendo el hacha por la hoja. La Fiera rugió con furia y empezó a sacudir salvajemente el arma, pero Tom se mantenía agarrado, a pesar de que el filo dorado le estaba cortando las palmas de las manos.

Mientras *Torgor* agitaba el hacha en el aire, Tom notaba que se le resbalan las manos. Finalmente, se soltó y cayó al suelo. La caída lo dejó sin aire. Intentó recuperar la respiración y se obligó a ponerse a cuatro patas. Notaba que estaba perdiendo la esperanza. No tenía la fuerza necesaria para vencer a aquella Fiera.

Una risotada lo hizo mirar hacia arriba. Para su sorpresa, Kerlo, *el Guardián* estaba delante de él, meneando la cabeza.

—Eres igual que Taladón, tu padre —dijo el hombre—. Demasiado testarudo para admitir la derrota.

Tom volvía a estar furioso.

—¡Déjame en paz! —gritó. ¿Qué derecho tenía Kerlo a criticarlos ni a él ni a su padre? La ira y la determinación le dieron fuerzas para ponerse de pie, coger el escudo y la espada y volver a enfrentarse al Minotauro.

Una sonrisa de aprobación apareció en la cara del guardián. Tom se dio cuenta de que éste le había dicho eso para provocarlo y que se levantara y volviera a luchar. ¿Estaría Kerlo de su lado, después de todo?

Tom avanzó hacia *Torgor*, pero en ese momento oyó unos ladridos furiosos y vio que su amiga estaba en la cima de la colina, con *Plata* y *Tormenta*. Elena estaba muy ocupada disparando una flecha detrás de otra a la espalda de la Fiera, pero todas rebotaban en su grueso pelaje. Tom blandió la espada por encima de la cabeza y saltó hacia las piernas musculosas de *Torgor*, pero éste le apartó el filo de una patada.

Mientras, *Tagus* intentaba alejarse del Minotauro, pero sus forcejeos solamente conseguían que el cepo se clavara aún más en la carne y que la sangre brotara en abundancia. Intentaba dar coces con las patas delanteras, pero la Fiera malvada estaba fuera de su alcance.

«El valiente de *Tagus* no puede pelear en esas condiciones —pensó Tom—. Si consiguiéramos liberarle...»

Cuando *Torgor* volvió a levantar el hacha, a Tom se le ocurrió una fabulosa idea. Saltó entre las dos Fieras, justo delante de la cadena que ataba a *Tagus* al árbol y blandió su espada hacia el Minotauro.

Éste soltó un grito de rabia y bajó el hacha hacia el chico con todas sus fuerzas. Pero en el último segundo, Tom se echó a un lado. El filo del hacha le pasó rozando el pelo y se oyó un enorme ruido cuando chocó contra la cadena.

Había partido los eslabones. ¡La cadena se había roto!

Tagus soltó un rugido y Tom pudo ver cómo rodaba y se ponía de pie, con los cascos pateando el suelo. Todavía tenía

el cepo en la pata, pero se lanzó con decisión hacia *Torgor*. Tom se sentía orgulloso de verlo luchar. ¡Qué valiente era el Hombre caballo! Se apresuró a ayudarlo y le empezó a dar golpes a *Torgor* en la espalda. Además, *Plata* se acercaba y se alejaba, mordisqueándole a la Fiera los tobillos.

—¡*Tagus*, tú puedes! —gritó Elena triunfante.

Las dos Fieras cayeron al suelo. *Torgor* había rodeado con los brazos el cuerpo de *Tagus* para inmovilizarlo, al tiempo que bajaba la cabeza e intentaba clavarle los cuernos. Pero el Hombre caballo se movió rápido como un rayo, le agarró uno de los cuernos y se lo retorció.

El Minotauro soltó un grito agonizante mientras *Tagus* le arrancó el cuerno de la cabeza. *Torgor* lo soltó en seguida y se tiró al suelo, jadeando.

A continuación se cayó de espaldas y se quedó inmóvil.

—¡Lo has conseguido! —gritó Tom. Volvía a recuperar la esperanza—. La fuerza de *Torgor* está en sus cuernos. ¡Ésa es la forma de vencerle!

CAPÍTULO 10

FIN DE LA BATALLA

Tom levantó la espada para atacar a *Torgor*, pero antes de poder bajarla, la Fiera se volvió a poner en acción. Movió su cabeza herida y se abalanzó hacia *Tagus* con un grito de furia.

—¡Elena! —susurró Tom—. ¡Distrae al Minotauro! ¡Asegúrate de que no me vea!

Ella se acercó y disparó más flechas a la Fiera, esta vez apuntándole a la cara. Las flechas apenas lo arañaban y él se las quitaba como si fueran molestas moscas, al tiempo que con sus ojos rojos miraba a Elena.

Tom soltó el escudo y, sólo con la espada, empezó a trepar a un árbol. Avanzó por una de las ramas hasta colocarse justo por encima de *Torgor*.

Con un grito de guerra que resonó en la tierra desierta, saltó del árbol y blandió su espada hacia el único cuerno que le quedaba al Minotauro. El filo se lo segó y la Fiera se quedó inmóvil, con el hacha levantada justo encima de la cabeza de Elena. La joya roja que había incrustaba en el arma se iluminó de repente y cayó al suelo.

Tom aterrizó justo al lado y la cogió. Todavía le sangraban las manos tras haberse agarrado a la hoja del hacha dorada, pero hasta ese momento no había notado el dolor.

—¡Tom! —exclamó Elena—. ¡Mira a *Torgor*!

Él se enderezó. Una luz roja rodeaba al Minotauro, haciéndose cada vez más sólida, hasta encerrarlo en una prisión de color rubí. A Tom le recordó un insecto atrapado en ámbar. La Fiera tenía la boca abierta, como si estuviera lanzando un rugido de furia, pero de su garganta no salía ningún sonido.

—¡Lo has logrado, Tom! —gritó su amiga—. Has vencido a *Torgor*.

Con un gran suspiro de alivio, Tom se arrodilló al lado del escudo y se tocó las manos heridas con otro de sus amuletos mágicos: el espolón de *Epos*, el Pájaro en llamas. Inmediatamente, la sangre dejó de brotar y las heridas se cerraron, sin dejar cicatriz alguna.

En ese mismo instante, Tom vio que el cinturón de cuero que antes llevaba *Torgor* ahora lo tenía él en la cintura. En el cuero había seis hendiduras y pensó que tenía que poner la joya roja en la primera.

—Me pregunto si esto me dará otros poderes, como los amuletos de mi escudo y las piezas de la armadura dorada —comentó pensativo.

—¿Notas algo? —preguntó Elena, ansiosa.

—No... —empezó a decir Tom, pero se detuvo al oír una voz que parecía hablarle dentro de la cabeza. Era demasiado débil como para distinguir las palabras, pero notaba una sensación muy poderosa de gratitud.

Tom miró a *Tagus* sorprendido. El Hombre caballo asintió.

—¡Eso es! —exclamó él—. ¡Elena, sé lo que está pensando *Tagus*! La joya roja me ayuda a comunicarme con las Fieras buenas de Avantia.

Una gran sonrisa se dibujó en la cara de su amiga.

—¡Eso es increíble!

—*Tagus* —preguntó Tom—, ¿es cierto que Malvel ha capturado a todas las Fieras buenas? ¿Están todas en Gorgonia?

—Sí. —La voz de *Tagus* ahora se oía más claramente.

Tom pareció experimentar dolor y rabia, como si el Hombre caballo le estuviera mostrando cómo sufrían las otras Fieras.

Intercambió una mirada con Elena.

—Esta Búsqueda no ha hecho más que empezar.

De pronto, notó una sombra que se extendía delante de él. Brillaba con una luz blanca y azul. Al verla, Elena exclamó:

—¡Aduro!

Tom se dio la vuelta y vio al buen brujo de pie al lado de un árbol. Se podía ver el tronco retorcido a través de su cuerpo y ellos comprendieron que se trataban de una visión.

—Bien hecho, Tom —dijo Aduro—. Los dos habéis hecho un buen trabajo.

Le hizo un gesto a *Tagus* y éste se acercó cojeando, con la pata todavía enganchada en el cepo.

—No puedo quedarme mucho tiempo —continuó el brujo—. En este lugar tengo muy poca fuerza y debo usarla toda para enviar a *Tagus* de vuelta a su hogar en Avantia. *Tagus*, ¿estás listo?

El Hombre caballo asintió. Tom oyó un «Adiós» que resonó en su mente.

—Adiós, *Tagus* —dijo entonces él en voz alta.

—¡Buena suerte! —añadió Elena.

Aduro levantó los brazos y volvió a aparecer la luz blanca y azul, que empezó a brillar a la vez que se transformaba en la puerta del león. A través de ella, Tom pudo ver las llanuras verdes de Avantia y sintió un poco de nostalgia, porque sabía que pasaría mucho tiempo antes de que pudieran regresar.

Tagus atravesó la puerta cojeando, pero en el instante en que sus cascos tocaron la hierba verde de Avantia, el cepo se le cayó de la pata y empezó a galopar. La horrible herida se le había curado. Levantó la mano para despedirse por última vez antes de alejarse en la distancia.

Entonces, la luz brillante se desvaneció y Aduro desapareció.

Tom y Elena se miraron.

—Me alegra haber visto eso —dijo ella suavemente—. Necesitaba saber que *Tagus* se iba a poner bien.

—Yo también —asintió él—. Mientras tanto, nosotros seguimos en el reino diabólico de Malvel. Y tenemos trabajo que hacer.

—No puedo dejar de preguntarme dónde estará el Brujo Oscuro —dijo Elena, mientras recogía las flechas que había disparado—. Me sorprende que todavía no le hayamos visto.

Tom reprimió un escalofrío. No quería pensar en qué estaría tramando el brujo malvado.

—Olvídate de Malvel —contestó con decisión—. Tenemos que liberar a las otras Fieras.

—Me pregunto cuál será la siguiente —dijo Elena.

Fueron en busca de sus amigos. *Tormenta* esperaba en la colina, mientras que *Plata* se había acercado a la prisión de rubí que rodeaba a *Torgor* y olfateaba la base con curiosidad.

Tom recuperó su escudo y lo ató a la silla de montar. Entonces vio que el espolón que le había dado *Epos*, el Pájaro en llamas, brillaba suavemente.

—Eso es —dijo—. Al siguiente que tenemos que salvar es *Epos*.

Se volvió y observó las colinas estériles de aquel extraño reino. En algún lugar había una Fiera buena que necesitaba su ayuda.

Costara lo que costase, Elena, él, *Plata* y *Tormenta* lo conseguirían.

Acompaña a Tom en su nueva
aventura de *Buscafieras*

Enfréntate a

SKOR,
EL CABALLO ALADO

¿Podrán Tom y Elena liberar a las
Fieras buenas del Reino Oscuro?

PRÓLOGO

Hallam se asomó en la penumbra. Apenas se atrevía a dar otro paso. Unos haces de luz bailaban por el suelo del bosque mientras las hojas de los árboles se movían por encima de su cabeza. Quién sabía qué criaturas acechaban tras los gruesos troncos o las gigantescas hojas de helecho. Avanzaba lentamente por la tierra cubierta de musgo. Unos ruidos resonaban entre los árboles; chillidos estridentes y graznidos bajos. Aquel lugar no se parecía en nada a los bosques donde él y los otros rebeldes de Gorgonia se solían esconder. En ésos, lo peor con lo que se podía topar un viajero era con un jabalí salvaje.

Pero aquel bosque ya no era un sitio seguro. No desde que Malvel había atrapado a Gorgonia bajo su red. Los ejércitos del brujo buscaban rebeldes por todas partes y quemaban los pueblos de la gente inocente. También había Fieras. Hallam tembló al recordar la muerte de sus dos camaradas. *Torgor*, el Minotauro, les había arrancado los miembros de uno en uno.

Prosiguió, mirando a todas partes de donde le llegaban ruidos. La ropa, empapada de sudor, se le pegaba al cuerpo. Una enredadera le pasó por detrás del cuello. Fue a apartarla rápidamente con la mano, pero al tocarla se empezó a mover. ¡Era una serpiente!

—¡Ah! —gritó Hallam, cayendo hacia atrás.

La serpiente acabó en el suelo y se enrolló, siseando. Sus escamas eran de color amarillo brillante y tenía los ojos rojos como la sangre. Hallam se quedó allí tumbado, petrificado del miedo. La serpiente lo miró fijamente a los ojos y empezó a meter y sacar la lengua mientras movía la cabeza, después se desenrolló y se alejó, deslizándose.

Hallam se volvió a poner de pie y se quitó las hojas mojadas de la túnica. Luego siguió avanzando.

—¡Debes tener mucho más cuidado! —se dijo a sí mismo.

Estaba tan ocupado observando los árboles por si había serpientes, que no se dio cuenta de dónde ponía los pies. En un segundo, se empezó a deslizar por una cuesta muy empinada. Las plantas que tenía a ambos lados se veían borrosas mientras caía. Y entonces distinguió lo que lo esperaba al fondo.

¡Un pozo lleno de víboras que se retorcían!

Intentó detenerse, pero el barro era demasiado resbaladizo. Las enredaderas se le rompían en la mano. Clavó los talones en el suelo con fuerza y por fin consiguió frenarse a unos centímetros de la letal maraña de víboras.

La sangre le latía en las sienes con un sonido más fuerte que los graznidos de los pájaros del bosque.

Temblando, Hallam empezó a subir la cuesta.

—¡Qué tonto eres! —murmuró para sus adentros—. Si no te fijas por dónde vas, los soldados de Malvel te encontrarán

No apartaba la vista de las serpientes. Quería salir de aquella jungla tan rápido como le fuera posible.

Su espalda topó con un tronco de árbol. Se agarró a la corteza con las palmas de las manos y entonces sintió algo suave, como plumas. Una respiración caliente impregnaba el aire por encima de su cabeza.

Hallam se dio la vuelta.

La cabeza de un caballo apareció entre las ramas que tenía detrás. Pero no era un caballo cualquiera. Se alzaba ante él y lo miraba. ¡Era una Fiera! Hallam se quedó sin aliento y el estómago se le encogió de miedo. La criatura echó los labios hacia atrás, revelando una hilera de dientes amarillos que goteaban chorros de saliva. Hallam cayó de rodillas ante los cascos dorados de la Fiera. Unas alas inmensas se desplegaron desde el cuerpo del caballo y éste se alzó en el aire. Sobrevoló por encima del bosque, moviendo sus potentes patas, luego echó la cabeza hacia atrás y relinchó con fuerza mientras Hallam se aplastaba contra el suelo. Los ojos de la criatura desprendían chispas plateadas que iluminaban las hojas brillantes de los árboles, antes de que sus dientes mortales se empezaran a acercar...

CAPÍTULO 1

VISIÓN EN EL AGUA

—Tenemos que limpiarte las heridas —dijo Elena.

Tom y su amiga estaban en el río que rodeaba las llanuras polvorientas de Gorgonia. No se parecía en nada a los riachuelos transparentes de Avantia. Aquí el agua era marrón y cenagosa y de vez en cuando salían unas burbujas a la superficie que, cuando se rompían, lanzaban al aire un gas amarillo de olor putrefacto.

Elena le curó las heridas que *Torgor* el Minotauro le había hecho en el brazo con el hacha. El espolón mágico del escudo de Tom, que le había dado *Epos*, el Pájaro en llamas, se había quedado sin poder antes de acabar de curarle todas las heridas. Había sido la lucha más dura que Tom había librado hasta ese momento, pero había conseguido liberar a *Tagus*, el Hombre caballo, de las garras de *Torgor*. Ahora, la buena Fiera estaba de vuelta en Avantia, lejos de los perversos planes de Malvel.

—¿Crees que eso funcionará? —preguntó Tom.

Elena sonrió y sacó las hierbas que le había dado la tía de él. Las mezcló con un poco de agua de su vasija hasta convertirlas en una masa muy espesa. *Plata*, el lobo, la observaba mientras ella ponía la masa sobre las heridas de su amigo Tom.

—Gracias —dijo el chico. No sabía cómo habría podido sobrevivir en su Búsqueda sin la ayuda de Elena.

El dolor que sentía en el brazo empezó a calmarse.

—¡Funciona! —exclamó.

Sin embargo, el recuerdo del enfrentamiento tardaría mucho más tiempo en desaparecer. *Torgor* había resultado ser más sanguinario que cualquiera de las otras Fieras a las que Tom se había enfrentado. Si se encontraba con otras criaturas así en Gorgonia, sabía que necesitaría toda su fuerza y todo su valor para vencerlas.

Mientras Elena le vendaba el brazo con la última gasa de lino que les quedaba, *Plata* se levantó y empezó a ir de arriba abajo por la orilla del río, ladrando desaforado hacia el agua.

El caballo de Tom, *Tormenta*, empezó a dar coces y agitar las crines, y después se alejó de la orilla.

—¿Qué les pasa a *Tormenta* y a *Plata*? —preguntó Elena.

—Algo los ha asustado —contestó Tom. Miró hacia el río. La corriente parecía haberse detenido. *Plata* soltó un fuerte aullido cuando de pronto una onda apareció en medio del agua.

Los dos amigos se quedaron mirándola mientras en ella se formaba una figura. Gradualmente, fueron distinguiendo las líneas de una boca, después una nariz y dos ojos. Unas ondulaciones alargadas de pelo blanco completaron la imagen. La boca se movió un poco, formando pequeñas olas.

Elena se quedó boquiabierta.

—¡Aduro! —dijo Tom.

Era su amigo, el brujo bueno de Avantia.

—Saludos, Tom y Elena —dijo el reflejo en el agua.

—Saludos —contestaron.

—Una vez más, enhorabuena por vencer a *Torgor* —dijo el brujo—. *Tagus* os da las gracias desde Avantia.

Elena apretó el brazo de Tom y Aduro continuó.

—Pero como ya sabéis, ahí, en Gorgonia, mi magia es muy débil. Cruzar la puerta que comunica los dos reinos debilita mi energía. No me puedo quedar mucho tiempo.

—Cuéntanos, Aduro —dijo Tom—, ¿cuál es nuestra siguiente misión?

—Debéis buscar una nueva Fiera —contestó él—. Se llama *Skor*.

Tom miró a Elena y ésta se encogió de hombros, intrigada.

La cara de Aduro se empezó a desvanecer por los bordes y sus palabras se hicieron muy distantes. Se estaba quedando sin magia.

—Tened cuidado —susurró—. Y una última advertencia: el peligro vendrá tanto de la tierra como del cielo. Recordadlo, tierra y cielo...

Finalmente, la cara se desvaneció del todo.

—¡Se ha ido! —gritó Tom.

—¿Cómo será *Skor*? —preguntó Elena—. ¿Cómo puede representar un peligro para la tierra y el cielo?

—No lo sé —dijo Tom—, pero lo averiguaremos. De momento, sabemos que *Epos* está en peligro.

—Después de vencer a *Torgor*, el espolón del Pájaro en llamas que estaba incrustado en el escudo de Tom había empezado a brillar pidiendo ayuda.

El chico cogió el escudo, se lo echó a la espalda y se apretó el cinturón mágico. En una de las hendiduras del mismo tenía la joya roja que había recuperado de *Torgor*. Le daba la capacidad de entender lo que las Fieras pensaban. Pero todavía tenía que llenar las otras cinco hendiduras. Tom se preguntó qué otros poderes conseguiría con aquella nueva Búsqueda.

—Ahora, veamos hacia adónde tenemos que ir —propuso Tom.

Elena abrió la alforja de la montura de *Tormenta* y sacó el mapa que les había dado Malvel. A diferencia del pergamino encantado que los había guiado por Avantia, ese otro mapa estaba impregnado de grasa animal. Tom se estremeció al ayudar a Elena a desplegar la superficie amarilla y grasienta.

—¡Mira! —exclamó su amiga—. ¡Un camino!

El hedor del mapa era insoportable y Tom contenía la respiración mientras lo estudiaban de cerca. Una línea verde se perfiló más clara en la superficie descolorida. Marcaba una ruta desde el lugar donde estaban hasta las llanuras. La línea serpenteaba entre unos barrancos rocosos y terminaba en una zona de árboles altos a muchos kilómetros de distancia. Entre esos árboles pintados, se veía la figura de un pequeño pájaro en llamas.

—¡Es un bosque! ¡Y ahí está *Epos*! —dijo Tom.

—Parece peligroso —comentó Elena, preocupada.

Él le puso la mano en el hombro para consolarla.

—Ya hemos conseguido vencer a trece Fieras —dijo—. Juntos lo lograremos de nuevo.

—Ni siquiera sabemos si nos podemos confiar del mapa —contestó ella—. Tal vez Malvel nos lleve a una trampa mortal.

Tom asintió.

—Estaremos preparados para cualquier desafío que el Brujo Oscuro nos plantee —aseguró, enrollando el mapa. Luego miró más allá del río—. *Epos* necesita nuestra ayuda. ¡No le defraudaremos!

Sigue esta Búsqueda hasta el final en
***SKOR*, EL CABALLO ALADO.**

¡Consigue la camiseta exclusiva de BUSCAFIERAS!

Sólo tienes que rellenar **4 formularios** como los que encontrarás al pie de esta página, de **4 títulos distintos** de la colección Buscafieras. Envíanoslos a EDITORIAL PLANETA, S. A., Área Infantil y Juvenil, Departamento de Marketing (BUSCAFIERAS), Avda. Diagonal, 662-664, 6.ª planta, 08034 Barcelona.

Promoción válida para las 1.000 primeras cartas recibidas.

Nombre del niño/niña: ....

Dirección: ....

Población: .... Código postal: ....

Teléfono: .... E-mail: ....

Nombre del padre/madre/tutor: ....

☐ Autorizo a mi hijo/hija a participar en esta promoción.

☐ Autorizo a Editorial Planeta, S. A. a enviar información sobre sus libros y/o promociones.

Firma del padre/madre/tutor:

BUSCAFIERAS Nº 1 PRUEBA DE COMPRA